Franklin est une marque de Kids Can Press Ltd.

Ce livre est un recueil d'histoires publiées pour la première fois par Kids Can Press en :

1997 pour Franklin fait du vélo, *Franklin Rides a Bike*, adaptation française de Cécile Beaucourt
© 1997, P. B. Creations Inc. pour le texte
© 1997, Brenda Clark Illustrator Inc. pour les illustrations
Les illustrations ont été réalisées avec l'aide de Shelley Southern

2000 pour La petite sœur de Franklin, *Franklin's Baby Sister*, adaptation française de Violaine Bouchard
© 2000, P. B. Contextx Inc. pour le texte
© 2000, Brenda Clark Illustrator Inc. pour les illustrations

1995 pour Franklin et son doudou, *Franklin's Blanket*, adaptation française de Marie–France Floury
© 1995, P. B. Creations Inc. pour le texte
© 1995, Brenda Clark Illustrator Inc. pour les illustrations
Les illustrations ont été réalisées avec l'aide de Muriel Hughes Wood

1998 pour Le club secret de Franklin, *Franklin's Secret Club*, adaptation française de Marie–France Floury
© 1998, P. B. Creations Inc. pour le texte
© 1998, Brenda Clark Illustrator Inc. pour les illustrations
Les illustrations ont été réalisées avec l'aide de Shelley Southern

© 2002, Hachette livre / Deux Coqs d'or pour l'édition française
ISBN : 2.01.392608.1 - 39.30.2608.08/6
Dépôt légal n° 41135- Décembre 2003

Les plus belles histoires de Franklin

VOLUME 2

Paulette Bourgeois - Brenda Clark

DEUX COQS D'OR

Franklin
fait du vélo

Franklin sait nager sous l'eau et faire de la balançoire tout seul en montant très haut. Il arrive à envoyer la balle à l'autre bout du pré avec sa batte de base-ball. Il sait même se suspendre à la grande échelle du portique.

Mais Franklin a un problème. Il ne sait pas faire de vélo sans petites roues à l'arrière.

Au début, tous les amis de Franklin avaient des petites roues sur leurs vélos.

Lili le castor a enlevé les siennes la première.

Lorsqu'elle est arrivée dans le parc en criant : « Regardez, je fais du vélo comme une grande ! » Franklin a écarquillé les yeux, admiratif.

Quelques jours plus tard, Lili réussit déjà à faire signe avec une de ses pattes tout en tenant le guidon de l'autre, et sans s'arrêter de rouler !

Très vite, tous les amis de Franklin savent faire du vélo sans petites roues. Tous… mais pas Franklin.

Un midi, Martin l'ourson lui dit :

« On va faire un pique-nique, viens avec nous ! »

Mais comme Franklin a très peur que ses amis se moquent de ses petites roues, il invente un mensonge : « Je n'ai pas faim. »

Et il rentre déjeuner chez lui, tout seul.

Après cette histoire, Franklin demande à sa maman
d'enlever ses petites roues. Il veut faire du vélo comme
un grand, lui aussi.

Il s'assoit sur la selle et sa maman le pousse doucement
pour lui donner de l'élan.

Mais Franklin tourne le guidon à droite, tourne le guidon
à gauche, tremble, vacille, puis tombe
dans un parterre de fleurs.

« Je n'y arrive pas, dit-il. Je ne remonterai plus jamais
sur ce vélo ! »

Et pendant toute la semaine, Franklin laisse
son vélo au garage et regarde tristement ses amis
partir en promenade sans lui. Ils sont devenus
de vrais aventuriers sur leurs petits vélos.

Le samedi suivant, les amis de Franklin passent comme des bolides devant sa maison.

« Ils ont l'air de bien s'amuser ! s'écrie la maman de Franklin.

— Oui, mais moi je ne sais pas faire de vélo sans petites roues, pleurniche-t-il.

– Il n'y a pas de raisons que tu n'y arrives pas,
répond sa maman.

– Hmm, grogne Franklin, peut-être
que je devrais réessayer… »

Franklin a décidé d'être courageux. Il monte sur son vélo.

Mais il se met aussitôt à crier :

« Je vais tomber !

– Essaie ! Je ne te lâcherai que quand tu me le demanderas »,
lui dit sa maman en le tenant par la selle.

Franklin pédale pendant que sa maman le guide à l'arrière.
Il a très peur.

« Je suis sûr que je vais me casser la figure ! »
dit-il en arrêtant de pédaler.

« Tu peux y arriver, insiste sa maman.

— C'est trop difficile pour moi, dit Franklin.
Et pourtant, mes amis peuvent le faire !

— Au début, c'est dur pour tout le monde »,
ajoute sa maman.

Franklin est vexé et très triste.

Il décide d'aller faire un tour au parc.

Lili s'entraîne à se suspendre à l'échelle du portique,
mais à chaque fois qu'elle atteint le troisième barreau… boum !
elle tombe dans le sable.

« Mais non, Lili, dit Martin, fais comme moi, c'est facile !

– Parle pour toi ! » répond Lili.

Elle remonte encore une fois, et encore une fois elle tombe
par terre.

« Je réessaierai demain », grogne-t-elle.

Franklin se rappelle que lorsque Odile le blaireau apprenait à nager, elle avait peur de mettre la tête sous l'eau.

« C'est facile, disait Franklin. Fais comme moi! »

Odile avait même pleuré. Mais maintenant, Odile sait traverser l'étang en nageant le crawl.

Franklin pense ensuite à la première fois où Raffin
le renardeau a joué au base-ball. Il n'arrivait jamais
à frapper la balle.

Mais, à force d'essayer, un jour, Raffin a envoyé la balle
si loin qu'on ne l'a jamais retrouvée.

Juste à ce moment, Émilie le porc-épic entre dans le parc. Elle s'approche très lentement en montrant les protections qu'elle porte aux genoux, aux poignets et aux coudes.

« J'ai l'air d'un clown avec ça, dit-elle, mais au moins, je ne risque pas de me faire mal.

– Merci du tuyau, Émilie! » crie Franklin en s'élançant vers sa maison.

Avec les moyens du bord, il se bricole rapidement
des protections semblables à celles d'Émilie, puis il délimite
la piste avec de vieux coussins pour ne pas se faire mal
en tombant.

« Je veux réessayer, dit-il ensuite à sa maman. Maintenant,
je n'ai plus peur de tomber. »

Il monte sur son vélo pendant que sa maman le tient
par la selle. Franklin tourne le guidon à droite,
tourne le guidon à gauche, tremble, vacille…
Il tombe plusieurs fois mais il remonte toujours sur son vélo.

Finalement, Franklin demande à sa maman
de le lâcher.

Le vélo ne s'en va pas dans les buissons.

Franklin ne tombe pas.

« Vas-y, champion ! » l'encourage sa maman.

Franklin en tremble d'émotion : il fait du vélo
comme un grand !

« J'y arrive », se répète-t-il en roulant vers le parc.

« Regardez-moi ! » crie-t-il à ses amis.

Franklin essaie de leur faire signe avec sa main comme

Lili sait si bien le faire mais… il se retrouve par terre.

Ses amis l'aident à se relever.

« J'ai encore un peu de travail de ce côté-là »,

dit Franklin en riant.

La petite sœur
de Franklin

Franklin sait compter jusqu'à cent et nouer ses lacets comme un grand. Il peut réciter par cœur tous les mois de l'année, et même les saisons. Il aime jouer au ballon en été, ramasser des feuilles en automne et construire des tortues de neige en hiver. Mais la saison préférée de Franklin, c'est le printemps. Et cette année, le printemps promet d'être très spécial…

Les parents de Franklin lui ont annoncé une grande nouvelle :
ils vont avoir un bébé au printemps!

Franklin saute de joie. Il a toujours rêvé d'être un grand frère!
Il s'est même entraîné avec la petite sœur de Martin l'ourson…

« Je sais comment on fait rire les bébés, et je sais aussi comment
leur faire faire leur rot! s'exclame Franklin.

– Tu seras un grand frère merveilleux », dit sa maman.

Chaque jour, Franklin demande à ses parents :
« Est-ce que c'est le printemps maintenant ? »
Sa maman met une main sur son ventre et répond :
« Pas encore. Mais bientôt… »
Franklin n'en est pas aussi sûr. Il fait encore
très froid dehors, et le sol est recouvert de neige.
Le printemps semble encore loin…

À l'école, M. Hibou demande si quelqu'un
sait reconnaître les signes du printemps.

« La terre se réveille après un long sommeil,
dit Mathieu le blaireau.

— Les plantes commencent à sortir du sol,
ajoute Arnaud l'escargot.

— Les bébés naissent », affirme Franklin.

Il regarde le ciel hivernal par la fenêtre
et souhaite que le printemps se dépêche un peu.

Comme devoir de printemps, M. Hibou a demandé
à ses élèves de planter une graine et d'observer sa germination.
Mais Franklin s'inquiète au sujet de la sienne.

« Elle est bien au chaud dans la terre, et elle a toute l'eau
qu'il lui faut, dit-il à M. Hibou, mais il ne se passe rien.

– Ta plante pousse, le rassure M. Hibou, mais tu ne peux
pas la voir. Il faut attendre un peu. »

Franklin soupire. Décidément, il n'aime pas attendre.

À la maison, Franklin aide ses parents à tout préparer pour la venue du bébé.

« Ce bébé mettra sûrement très longtemps à arriver », dit Franklin.

Sa maman le prend dans ses bras.

« Nous attendons ce bébé pour le printemps, et le printemps ne tardera plus, maintenant.

– Vraiment ? » demande-t-il, ravi.

Franklin va se promener. À chaque tournant,
il regarde autour de lui et appelle :
« Hé, ho! Printemps! Es-tu là? »
Mais personne ne répond.
Franklin frappe sur des poêles et des casseroles,
il agite des clochettes. Mais même avec tout ce vacarme,
le printemps ne se réveille pas.

La petite tortue observe son jardin. Aucune plante
ne montre encore le bout de son nez.

Il n'y a aucun signe du printemps ici…

Et c'est un vrai problème puisque le bébé est censé
arriver au printemps…

Franklin se sent très triste. Si le printemps ne vient pas,
il ne pourra jamais être un grand frère!

Son papa sort dans le jardin pour voir ce qui ne va pas.

« Je crois que le printemps ne viendra jamais, se lamente Franklin.

— Ne t'inquiète pas, dit son papa. Je sens qu'il va bientôt pleuvoir, et tu sais que les pluies d'avril apportent les fleurs de mai. »

Franklin est déjà un peu rassuré.

Le dimanche suivant, il met son chapeau, ses bottes et prend son parapluie.

« Je suis paré ! s'exclame-il.

– Ce n'est pas une si grosse pluie, dit sa maman en riant. Juste un bébé pluie ! »

Franklin semble déçu.

Pour lui changer les idées, son papa lui dit :

« Viens voir ! Nos amis ont apporté des cadeaux pour le bébé. »

Mais Franklin aurait préféré qu'ils apportent le printemps…

Le lendemain matin, le facteur vient déposer quelques cadeaux de la part de tante Anémone.

Il y a un mobile pour le bébé, un cerf-volant pour Franklin et un bouquet pour sa maman.

Celle-ci respire le parfum des fleurs et dit :

« C'est comme si tante Anémone nous envoyait le printemps.

– Youpi ! s'exclame Franklin. Le bébé va bientôt naître ! »

Plus tard, à l'école, Franklin clame partout
que le printemps est arrivé.
« Tu as raison, dit M. Hibou. Regarde! »
Une petite pousse a jailli de la graine de Franklin.
C'est tout petit, tout vert et absolument merveilleux.

Quand Franklin rentre de l'école, sa grand-mère
est à la maison.

« Félicitations, Franklin, dit-elle. Tu es un grand frère.
Ta petite sœur est née aujourd'hui. »

Franklin danse de joie.

« Est-ce que je peux la voir ? demande-t-il.

– Elle t'attend à la maternité », dit sa grand-mère.

Et ils partent aussitôt.

À la maternité, Franklin embrasse ses parents
et sourit à sa petite sœur.

« Comment s'appelle-t-elle ? demande-t-il.

– Nous n'avons pas encore choisi, répond
sa maman. Nous voudrions un prénom original. »

Franklin observe sa petite sœur.

« Pourquoi ne l'appellerions-nous pas Anémone,
comme tante Anémone ? C'est original, et le bébé
lui ressemble beaucoup. »

Ses parents lui sourient… Anémone est vraiment
un prénom parfait.

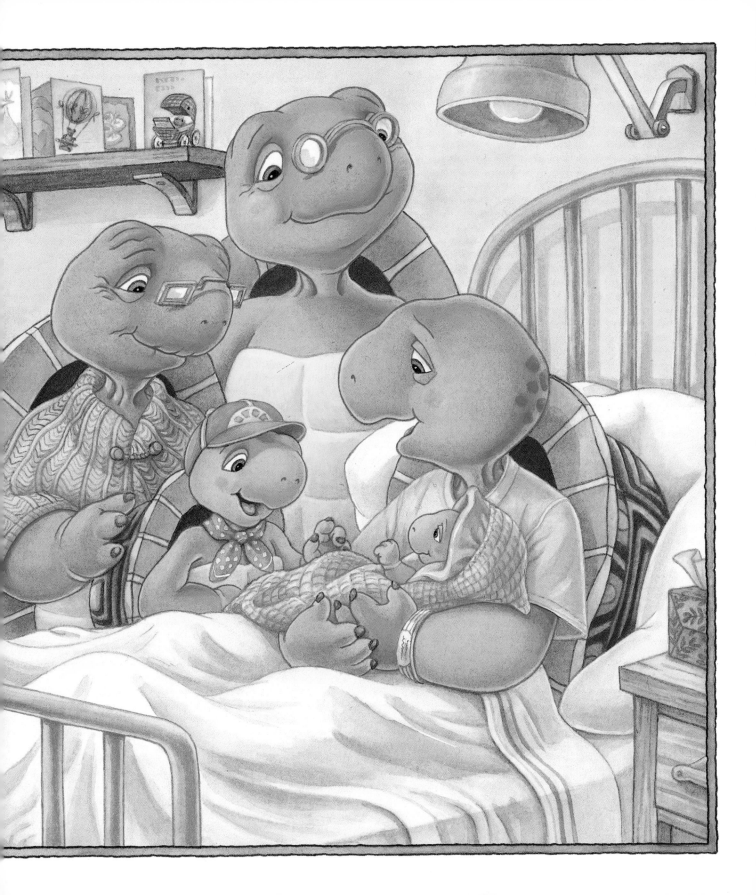

Franklin demande à prendre sa petite sœur
dans ses bras.

« Bonjour, Anémone, dit-il. Je suis ton grand frère,
Franklin. Si tu savais comme je t'ai attendue ! »

Franklin
et son doudou

Franklin s'habille tout seul depuis longtemps.
Il sait compter de deux en deux et faire des doubles nœuds.
Il s'endort comme un grand avec une histoire, un câlin,
un verre d'eau, sa veilleuse et sa couverture-doudou bleue…

Au début, la couverture était grande, douce et bordée
de satin, mais il l'a tant tortillée, mordillée et papouillée que,
maintenant, elle a des trous un peu partout. Chaque année,
Franklin grandit et grandit tandis que sa couverture rétrécit!

D'habitude, Franklin range son doudou dans le premier tiroir de sa commode. Mais un soir, il ne le retrouve pas. Il cherche partout dans sa chambre, vide son coffre à jouets, inspecte les étagères et les placards, mais sa couverture n'est nulle part!

Il court chercher son papa et sa maman.

« Veux-tu retourner au lit, lui ordonnent aussitôt
ses parents.

– Mais, mais… dit Franklin.

– Il n'y a pas de mais, dit son papa, tu as eu ton histoire,
ton câlin, deux verres d'eau et j'ai remonté ta veilleuse
moi-même.

– Oui, mais je ne trouve pas mon doudou »,
pleure Franklin.

Alors Franklin et ses parents cherchent le doudou partout dans la maison.

« Essaie de te rappeler quand tu l'avais avec toi pour la dernière fois », dit sa maman.

Franklin réfléchit.
Ce matin quand il s'est disputé
avec Martin l'ourson,
il est allé chercher son doudou
et s'est vite consolé.

Cet après-midi,
quand le tonnerre a commencé
à gronder et que les éclairs
se sont succédé, il l'a mis sur sa tête
jusqu'à ce que l'orage s'arrête.

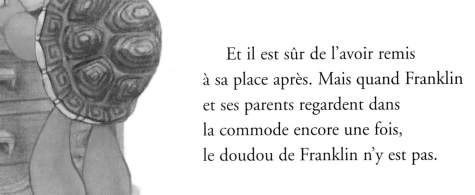

Et il est sûr de l'avoir remis
à sa place après. Mais quand Franklin
et ses parents regardent dans
la commode encore une fois,
le doudou de Franklin n'y est pas.

« Nous le retrouverons demain, dit la maman de Franklin.

– Mais je ne peux pas dormir sans mon doudou, gémit Franklin.

– J'ai une idée », dit son papa.

Il quitte la pièce et revient en lui tendant une vieille couverture jaune.

« Qu'est-ce que c'est ? demande Franklin.

– C'était mon doudou quand j'étais petit comme toi. Peut-être que cela t'aidera ! »

Franklin se pelotonne dans la vieille couverture jaune, mais ce n'est pas la même chose. La sienne lui manque terriblement et il met un temps fou pour s'endormir.

Le lendemain, Franklin reprend ses recherches.
Il va d'abord chez Martin l'ourson. Il a l'air si renfrogné
que son ami lui demande :

« Que se passe-t-il, Franklin ? Ta maman t'a encore fait
des choux de Bruxelles, à dîner ?

– Pire, répond Franklin, j'ai perdu mon doudou.

– Il n'est pas ici, dit Martin. D'ailleurs, ma maman
me dit toujours que les grands ours comme moi
sont trop vieux pour garder leurs couvertures de bébé.
Peut-être que toi aussi tu devrais t'en passer. »

Mais Franklin sait bien que Martin dort toujours
avec sa peluche.

« Et ton lapin, alors ? demande-t-il.

– Oh ! les lapins, c'est différent », répond Martin.

Puis Franklin se rend chez Raffin le renardeau.
Mais son doudou n'y est pas non plus.

« Si on jouait ? demande Raffin.

– Non, répond Franklin, je veux retrouver mon doudou.

– Mon papa me dit toujours que les couvertures usées,
c'est seulement pour les bébés, dit Raffin. Tu devrais
t'en acheter une neuve, moi, c'est ce que j'ai fait.

– J'aime mieux la vieille », soupire Franklin.

Franklin court chez Lili le castor. Mais Lili n'a rien
trouvé. Elle sent Franklin si dépité qu'elle lui dit :

« Si tu veux, je te prête mon nounours…

– Merci, Lili », dit Franklin en serrant le nounours
dans ses bras.

Cette nuit-là, quand Franklin va se coucher, il emporte
avec lui le nounours de Lili et la vieille couverture jaune
de son papa. Mais ça ne lui suffit pas…

Au petit déjeuner, le lendemain, M. Tortue se met
à renifler et pince son nez.

« Vous ne sentez pas une drôle d'odeur ? demande-t-il.
Une odeur de vieille chaussette pourrie ? »

Franklin et sa maman hument l'air, eux aussi.
Et tout à coup, Franklin se souvient !
« Je pense que je sais d'où ça vient », dit-il.

Il regarde sous sa chaise et tire sa couverture bleue.
Plop! Plop! Une poignée de choux de Bruxelles froids
et collants s'échappent de la couverture et tombent par terre.

Les parents de Franklin froncent les sourcils.

« Regardez! s'écrie Franklin. J'ai retrouvé mon doudou!
J'avais complètement oublié où je l'avais posé.

– Oui, et tu avais aussi complètement oublié de manger
tes choux, gronde sa maman.

– Euh… fait Franklin en rougissant.

– Oh, comme ils sentent mauvais ces vieux choux froids !
dit son papa.

– Tous les choux sentent mauvais », grimace Franklin.
La maman de Franklin sourit :

« Moi, je n'ai jamais aimé le chou vert.

– Et les asperges ! ajoute son mari. C'est encore plus mauvais
que les choux de Bruxelles et le chou vert réunis.

– Et les brocolis ! » ajoute Franklin.

Mais il se ravise, il aime bien les brocolis.

« Les brocolis sentent un peu, mais je veux bien en manger.

– À la bonne heure ! » dit son papa.

Franklin aide à nettoyer.

Puis il regarde son doudou bleu.

« Je me moque que tu sois vieux et plein de trous, dit-il.

Ce qui est sûr, c'est que tu as besoin d'un bon bain. »

Ce soir-là, avant l'histoire, le câlin et le verre d'eau, Franklin range la vieille couverture jaune dans le coffre du salon.

« Et voilà, dit-il en souriant, on ne jette pas les vieux doudous dans cette maison! Et c'est très bien comme ça! »

Le club secret
de Franklin

Franklin sait compter jusqu'à cent et nouer ses lacets comme un grand. Il aime la compagnie et apprécie tous les jeux ! À la chorale de l'école, à l'atelier de travaux manuels, il aime s'occuper avec ses copains et il a l'esprit d'équipe. C'est pourquoi, un beau jour, il a l'idée de créer son propre club…

Ce jour-là, Franklin découvre une cachette secrète
près de chez lui. C'est l'endroit idéal pour installer
le quartier général de son club.

« Il faudra choisir un mot de passe et un salut secret,
dit-il à Martin, son ami.

— Et des goûters secrets, ajoute Martin en se léchant
les babines.

— Oui, dit Franklin en riant, des recettes secrètes
de goûters secrets! Chut! »

La cachette est très chouette, mais un peu étroite
pour accueillir un grand club.

« Je crois qu'avec Arnaud l'escargot et Basile le lapin
nous serons au complet, dit Franklin. Demandons-leur
de nous rejoindre. »

Les quatre amis aménagent tous ensemble la cachette
et trouvent un nom à leur club : « Le Club Secret ».

Chaque jour, après l'école, les membres du club
se réunissent. Ils mangent des brioches aux myrtilles
et fabriquent des téléphones en boîtes de conserve.

Ils s'offrent des bracelets en macaronis qu'ils ont peints
eux-mêmes.

Franklin est si occupé à organiser des activités secrètes
pour les membres du club qu'il en oublie presque le reste
de ses amis.

À l'école, tout le monde est très gentil avec lui, surtout Lili le castor. Elle lui réserve une place trois jours de suite dans le car de l'école. Une fois, elle lui offre la moitié de son déjeuner. Elle l'aide même à ranger le matériel après les cours de travaux manuels.

« Merci, Lili », dit Franklin.

Lili sourit :

« Est-ce que je peux faire partie de ton club, maintenant? »

Franklin est tout surpris. Il n'a pas compris que ses autres amis mouraient d'envie de rejoindre son club secret.

« Désolé, Lili, répond-il, mais il n'y a plus de place dans notre cachette.

– Ce n'est pas une raison, et puis ce n'est pas gentil, grogne Lili. Tant pis, puisque c'est comme ça, je vais fonder mon club à moi.

– Mais… » commence Franklin.

Mais Lili est déjà loin.

Ce jour-là, après l'école, le club secret organise une chasse aux trésors.

Mais Franklin n'a pas le cœur à jouer. Il est embêté car Lili est en colère contre lui.

« Je lui ai juste dit qu'il n'y avait plus assez de place pour elle », explique-t-il à ses amis.

Tous hochent la tête tristement.

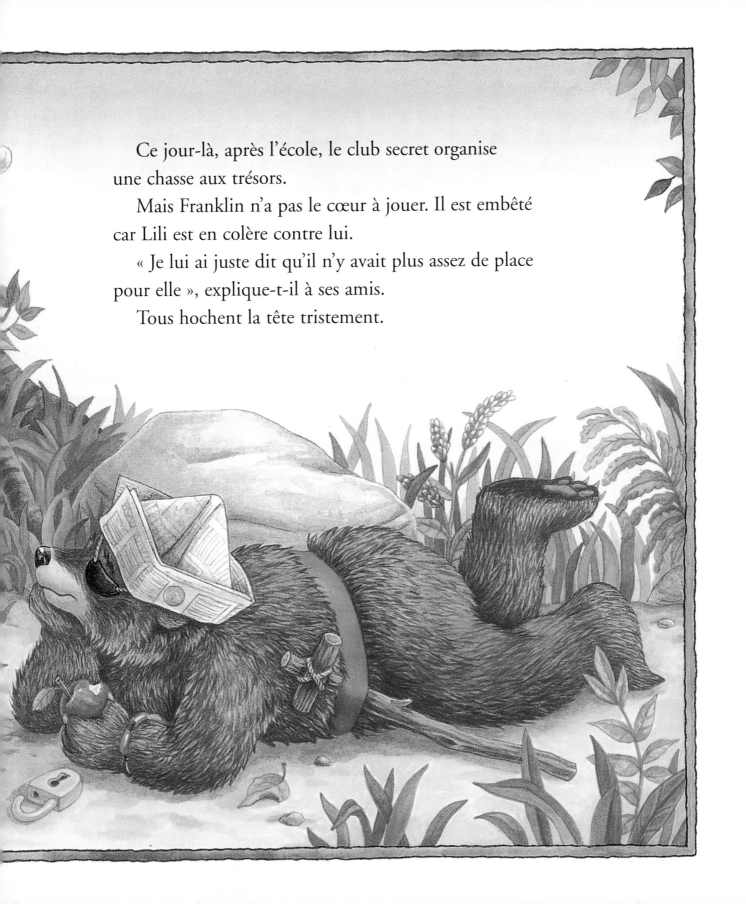

Le jour suivant, quand Franklin et Martin se retrouvent,
ils se font leur salut secret : deux tapes dans chaque main,
suivies d'un clin d'œil !

Puis ils se murmurent leur mot de passe : « Myrtilles ».

Mais Martin ne s'arrête pas là. Il bat des bras,
remue des doigts, fronce le museau et dit :

« Pschitt, pschatt, bric-à-brac, tchika-tchika, bop !

– Qu'est-ce que c'est que ça ? demande Franklin.

– C'est le salut et le mot de passe du Club des Aventuriers
de Lili. C'est Raffin renardeau qui me l'a dit.

– Oh ! » fait Franklin, tout embêté.

Les membres du Club Secret continuent à inventer de nouveaux jeux. Franklin est content, mais il ne s'amuse plus autant depuis qu'il a entendu que Lili a de meilleures idées que lui.

« Aujourd'hui, au Club des Aventuriers, ils vont à la recherche de fossiles de dinosaures! lui dit Arnaud l'escargot.

— Ils ont de la chance, soupire Martin.

— Oui », répond Franklin.

Alors, Franklin essaie d'inventer des activités secrètes
encore plus extraordinaires. Il apprend aux membres
du club à écrire des messages invisibles avec du jus
de citron, et puis ils créent ensemble leur alphabet secret.
Mais au même moment, les Aventuriers organisent
un voyage sur la lune!

Par curiosité, Franklin et ses amis viennent jeter un œil
au quartier général du club de Lili.

Il y a là une cabane dans un arbre, une balançoire
en pneu, une tente et un grand panneau :
Réservé aux membres du club !

Franklin meurt d'envie d'être un aventurier.

« Maintenant, je comprends ce qu'elle ressentait, dit-il
tristement. Ce n'est pas agréable d'être laissé de côté ! »

Soudain, Franklin a une idée.

« Si on invitait tous les Aventuriers à rejoindre notre club ?

— Mais il n'y aura pas assez de place pour tout le monde dans notre cachette ! s'exclame Martin.

— On se retrouvera devant, dit Franklin, et dehors on aura toute la place qu'on voudra.

Alors Franklin donne rendez-vous à Lili.

« Je suis désolé de t'avoir laissé de côté », dit-il.

Lili accepte ses excuses :

« Pardonne-moi aussi.

– Le Club des Aventuriers est un super club, dit Franklin.

Le Club Secret aussi. Si nous les réunissons, nous aurons le meilleur des clubs, tu ne crois pas ? »

Lili est d'accord. Désormais les deux clubs n'en forment plus qu'un seul.

Quelle excitation lors de la première réunion!
Raffin, Lili et Mathieu veulent apprendre quantité de secrets.
Arnaud, Martin, Basile et Franklin veulent partir à l'aventure.
Le nouveau club se baptise le Club Secret des Aventuriers.
Son mot de passe est : « Pschitt-Pschatt, bric-à-brac,
tchika-tchika, myrtilles, bop! »
Pour le salut, on bat des bras, on claque des doigts,
on fronce le museau, on se tape deux fois dans les mains
et on finit par un clin d'œil.

Lili plante un panneau à l'entrée du quartier général.

Elle écrit dessus : *Club Secret des Aventuriers.*

Franklin en plante un second où il écrit : *Bienvenue à tous !*

Et les deux amis s'écrient en chœur :

« Personne ne sera mis de côté au Club Secret des Aventuriers ! »

Imprimé chez Pollina, 85400 Luçon n° L91739.
Loi n° 49-956 du 16 juillet 1949 sur les publications destinées à la jeunesse.

Franklin

vous attend dans La Première Bibliothèque Rose !

Quel plaisir
de lire tout seul !

- Des histoires courtes
- Un vocabulaire simple
- Des personnages attachants